Claves
Competencia gramatical
en *USO*

A1

Alfredo González Hermoso
Carlos Romero Dueñas
Aurora Cervera Vélez

edelsa
GRUPO DIDASCALIA, S.A.

Primera edición: 2007
Sexta impresión: 2017
Impreso en España / *Printed in Spain*

© **Edelsa, grupo Didascalia, S.A.**, Madrid 2007
Autores: Alfredo González Hermoso, Carlos Romero Dueñas y Aurora Cervera Vélez

Dirección y coordinación editorial: Departamento de Edición de Edelsa
Diseño de cubierta, interior y maquetación: Departamento de Imagen de Edelsa

Imprenta Lavel
ISBN: 978-84-7711-498-7
Depósito legal: M-23998-2007

Tema 1. Los sustantivos I

Ejercicio 1.
1. profesora; 2. gata; 3. leona; 4. hija; 5. estudiante; 6. abuela; 7. cantante; 8. futbolista; 9. perra; 10. abogada; 11. ingeniera; 12. tenista; 13. turista; 14. psicóloga; 15. hermana; 16. amante; 17. periodista.

Ejercicio 2.
1. primo; 2. doctor; 3. chico; 4. tío; 5. médico; 6. niño; 7. hijo; 8. artista; 9. ayudante; 10. amigo; 11. señor; 12. pianista; 13. pintor; 14. taxista; 15. perro; 16. camarero; 17. arquitecto.

Ejercicio 3.
Masculino: libro; ordenador; mapa; equipaje; enero.
Femenino: televisión; foto; moto; puerta; flor; mano.

Ejercicio 4.
1. profesor; 2. aboga**da**; 3. escritor; 4. cantant**e**; 5. abuel**a**; 6. camarer**a**; 7. estudiant**e**.

Ejercicio 5.
1. casa; 2. flor; 3. amistad; 4. mapa; 5. radio; 6. corazón; 7. juventud; 8. ce.

Ejercicio 6.
Masculino: olor; sabor; dinero; miedo; poder; dolor.
Femenino: amistad; expresión; información; verdad; enfermedad.

Ejercicio 7.
1-c; 2-f; 3-e; 4-d; 5-a.

Ejercicio 8.
1. cocinera; 2. pintor; 3. profesora; 4. estudiante; 5. pianista; 6. médica; 7. cantante; 8. tenista; 9. camarero.

Ejercicio 9.
1. madre; 2. hermana; 3. hermano; 4. abuelo, abuela; 5. tía, tío; 6. primo; 7. mujer.

Tema 2. Los sustantivos II

Ejercicio 1.
1. problemas; 2. animales; 3. papás; 4. lunes; 5. televisiones; 6. bambúes; 7. ciudades; 8. menús; 9. sofás; 10. luces; 11; champús; 12. autobuses; 13. informaciones; 14. hoteles; 15. pies.

Ejercicio 2.
1. país; 2. rey; 3. jersey; 4. jueves; 5. pez; 6. papel; 7. té; 8. zapato; 9. mujer; 10. actriz; 11. señor; 12. vaca; 13. león; 14. esquí; 15. amistad.

Ejercicio 3.
Singular: reloj; jersey; mes; nariz; autobús.
Plural: flores; ciudades; lápices.
Singular y plural: jueves; tijeras; paraguas.

Ejercicio 4.
1. ¿Sois estudiantes?; 2. Somos camareros; 3. Señores, por favor; 4. ¿Son ustedes directoras?; 5. Ellas son actrices y ellos periodistas.

Ejercicio 5.
1. Soy arquitecto; 2. ¿Es usted doctor?; 3. Es información; 4. ¿Eres abuelo?; 5. Soy actor.

Ejercicio 6.
1. los hermanos; 2. los hijos; 3. los reyes; 4. las enfermeras; 5. los periodistas; 6. las abuelas; 7. los alumnos; 8. los novios; 9. los vendedores; 10. los profesores; 11. los señores.

Ejercicio 7.
1. hijos; 2. reyes; 3. profesores; 4. perros; 5. chicos.

Ejercicio 8.
Pantalones; Guantes; Bufandas; Corbatas; Bañadores; Trajes; Cinturones; Calcetines.

Tema 3. *Ser* y *llamarse*

Ejercicio 1.
1. son; 2. somos; 3. soy; 4. son; 5. son; 6. Eres; 7. es, es; 8. son, son; 9. es; 10. Eres; 11. sois; 12. somos, somos; 13. sois; 14. sois; 15. Soy, soy, soy.

Ejercicio 2.
1. se llama; 2. Me llamo; 3. Nos llamamos; 4. os llamáis, se llama. 5. se llaman; 6. Me llamo.

Ejercicio 3.
1-b; 2-f; 3-e; 4-d; 5-a.

Ejercicio 4.
1-e; 2-b; 3-d; 4-c; 5-a.

Ejercicio 5.
1. ¿Eres José?; 2. Eres española; 3. ¿Tú eres Sonia?; 4. ¿Eres español?; 5. ¿De dónde son?

Ejercicio 6.
1. Me llamo Haruaki; 2. ¿De dónde eres?; 3. Soy japonés, de Tokio; 4. Pues yo soy española, de Valencia.

Ejercicio 7.
1. Haruaki es japonés y yo soy española; 2. Se llama Cristina; 3. Él es Hans y yo me llamo Anna; 4. La profesora se llama Cristina y es de Valencia.

Ejercicio 8.
1. ¿El profesor es español? / ¿José Ramón Tabar es español?; 2. ¿La señora Capel es profesora? / ¿Elisa María Capel es profesora?; 3. ¿Cómo se llama la médica?; 4. ¿La médica es española? /¿Elisa María Capel es española?

Tema 4. Los artículos

Ejercicio 1.
EL / UN: hermano; río; elefante; día.
LOS / UNOS: alumnos; libros; problemas; pantalones.
LA / UNA: moto; información; bicicleta; fiesta; amiga.
LAS / UNAS: directoras; tijeras; gafas; manos.

Ejercicio 2.
1. El; 2. Los, los, la; 3. Las; 4. El, la; 5. La; 6. Los; 7. El, las.

Ejercicio 3.
0. de la; 1. del; 2. del; 3. al; 4. a la, de la; 5. a la; 6. al; 7. al; 8. a la; 9. a la, del.

Ejercicio 4.
1-b. Un; 2-e. Un; 3-a. El; 4-c. Una; 5-d. El; 6-f. Una.

Ejercicio 5.
1. No sabe de quién es la bicicleta; 2. Hablan de un profesor nuevo; 3. Hablan de su profesor; 4. María tiene más de un libro; 5. Hablan de un libro concreto; 6. Ángela tiene un solo perro; 7. Hablan de Graciela por primera vez; 8. Conocen a Graciela; 9. Sabe cuál es la lección.

Ejercicio 6.
1. un, una, El, la; 2. La; 3. la; 4. un, El; 5. la; 6. la.

Ejercicio 7.
1. un, El; 2. El, el ; 3. un, El; 4. un; 5. el.

Ejercicio 8.
1. el, un; 2. el, el; 3. una, el; 4. la, un.

Ejercicio 9.
1. un, una, El; 2. Las; 3. un, El; 4. un; 5. un, un.

Tema 5. *Estar*

Ejercicio 1.
1. Estás; 2. están; 3. Estamos; 4. Estás; 5. estás; 6. está; 7. están; 8. está; 9. estoy.

Ejercicio 2.
1. está; 2. están; 3. está; 4. está; 5. Estás; 6. Está; 7. estáis.

Ejercicio 3.
1. estamos; 2. Están; 3. estás; 4. estoy; 5. están; 6. están.

Ejercicio 4.
1. Jaime y yo estamos en un curso de portugués; 2. El periódico está encima de la mesa; 3. Hoy estamos enfermos; 4. Juana está contenta con su trabajo; 5. Hoy los perros están tranquilos; 6. El móvil está de moda; 7. ¿El sitio está lejos de aquí?; 8. Ustedes están en forma; 9. Madrid está en el centro de España.

Ejercicio 5.
1-d; 2-a; 3-c.
Expresar estados físicos: Estoy un poco cansada.
Expresar estados de ánimo: Estoy muy nerviosa.
Expresar estados de las cosas: Los lunes está cerrado.

Ejercicio 6.
1. Está contento; 2. Están cansados; 3. Está dormida; 4. Está enferma; 5. Están tristes.

Ejercicio 7.
1. está – f. Está; 2. está – a. está; 3. está – e. Está; 4. están – b. Están; 5. Están – c. están.

Ejercicio 8.
1. está – F; 2. está –V; 3. están –V; 4. están –V; 5. está – F; 6. están – F; 7. están – F.

Tema 6. Los adjetivos

Ejercicio 1.
1. difícil; 2. roja; 3. guapa; 4. inteligente; 5. habladora; 6. simpática; 7. nueva; 8. verde; 9. azul; 10. blanca; 11. morena.

Ejercicio 2.
1. joven; 2. trabajador; 3. listo; 4. fuerte; 5. alegre; 6. cansado; 7. viejo; 8. amarillo; 9. negro; 10. gris; 11. rubio.

Ejercicio 3.
Masculinos: escocés; francés; portugués; español; noruego; italiano.
Femeninos: brasileña; colombiana; guatemalteca; holandesa; sueca; polaca; japonesa.
Masculinos y femeninos: canadiense; costarricense; estadounidense; iraní; nicaragüense; marroquí; israelí.

Ejercicio 4.
1. Unos paraguas grandes; 2. Unos sofás verdes; 3. Unos periodistas japoneses; 4. Unas cámaras pequeñas; 5. Unos jerséis bonitos; 6. Unos reyes jóvenes; 7. Unos árboles pequeños; 8. Unos programas mundiales; 9. Unos directores amables; 10. Unos alumnos habladores; 11. Unas mujeres hindúes; 12. Unos hombres inteligentes; 13. Unos profesores libaneses; 14. Unos gatos negros; 15. Unos abogados serios.

Ejercicio 5.
1. El poeta joven; 2. El sillón cómodo; 3. El médico japonés; 4. El problema difícil; 5. El zapato rojo; 6. El actor guapo; 7. La tarde triste; 8. El mes corto; 9. La flor roja; 10. La escritora rusa; 11. El paraguas negro; 12. El deportista internacional; 13. El ordenador portátil; 14. La película paquistaní; 15. El plato marroquí.

Ejercicio 6.
1-a; 2-c.; 3-b.

Ejercicio 7.
1. alt**os**; 2. dulc**es**; 3. azul**es**; 4. cort**os**; 5. genial**es**; 6. verd**es**; 7. israelí**es**; 8. larg**os**; 9. divertid**as**.

Ejercicio 8.
1. jóvenes; 2. nuevos; 3. antiguas; 4. baratos; 5. cómodos; 6. grandes; 7. elegantes; 8. caros.

Ejercicio 9.
1. imaginativo, frías; 2. castellana, rojas, asado; 3. asiática, indonesios.

Tema 7. *Ser y estar*

Ejercicio 1.
1. es; 2. está; 3. Soy; 4. es; 5. es, soy; 6. está; 7. está, Está; 8. es, Son; 9. está, Está.

Ejercicio 2.
1. estás; 2. es; 3. Soy; 4. está; 5. es; 6. Soy; 7. está; 8. están; 9. eres.

Ejercicio 3.
Cualidades: son muy estrechos; es rubio; Es moreno; es grande; Es muy pequeño.
Carácter: Es muy simpático; es muy exigente.

Estado físico: están cerrados.
Estado de ánimo: estoy triste; estoy muy nerviosa.

Ejercicio 4.
1. está; 2. es; 3. está; 4. está; 5. está; 6. es; 7. Están; 8. es; 9. es, es; 10. es; 11. son; 12. estoy.

Ejercicio 5.
1. están en el océano Atlántico; 2. está vacío; 3. está al noroeste de España; 4. están cerradas; 5. es española; 6. es Buenos Aires; 7. está muy bien; 8. son extranjeros; 9. es muy simpática.

Ejercicio 6.
1. es; 2. soy; 3. Estoy; 4. es; 5. está; 6. Es; 7. está.

Ejercicio 7.
1. Es, Está, Está, Es, está; 2. Es, Está, es, Es, Es; 3. Es, es, Está, es, Es.

Tema 8. Presente de indicativo

Ejercicio 1.
Trabajar: trabajo; trabajas; trabaja; trabajamos; trabajáis; trabajan.
Comer: como; comes; come; comemos; coméis; comen.
Escribir: escribo; escribes; escribe; escribimos; escribís; escriben.

Ejercicio 2.
1. trabajas; 2. Compráis; 3. pasan; 4. desayunas; 5. Necesitan; 6. significa; 7. cenamos; 8. Escucha; 9. Toca.

Ejercicio 3.
1. vivo; 2. bebo; 3. abren; 4. leo; 5. compramos; 6. regreso; 7. practicamos; 8. llamo; 9. viajamos; 10. desayuno.

Ejercicio 4.
Pedir o dar información: Yo me llamo Hans; ¿A qué te dedicas?; ¿Estudias o trabajas?; Trabajo en la biblioteca; Yo trabajo en un banco; estudio español.
Hablar de acciones habituales: ¿Y normalmente a qué hora entras a clase?; Siempre entro a las cuatro; ¿Y dónde comes habitualmente?

Ejercicio 5.
1. En un museo, soy guía; 2. Historia del Arte; 3. En un restaurante chino; 4. Normalmente a las 7; 5. Un libro de Vargas Llosa; 6. En un apartamento en el centro.

Ejercicio 6.
1-e; 2-f; 3-a; 4-b; 5-c; 6-g.

Ejercicio 7.
1. enseña; 2. cura; 3. pinta; 4. vende; 5. aprende; 6. corta; 7. escribe.

Ejercicio 8.
1. habla; 2. habla; 3. viven; 4. vive; 5. estudia; 6. es, estudia; 7. son.

Tema 9. Verbos reflexivos

Ejercicio 1.
1. se, ø; 2. se, ø; 3. se, ø; 4. se, ø; 5. se, ø.

Ejercicio 2.
me; se; se; se; se; se; nos; nos; nos.

Ejercicio 3.
1. Se; 2. ø; 3. nos; 4. os; 5. nos; 6. te; 7. te; 8. se.

Ejercicio 4.
se; se; se; ø; se; ø; se; ø.

Ejercicio 5.
levant**amos**; me duch**o**; me vist**o**; duchar**se**; nos lav**amos**; se lav**a**; nos acost**amos**.

Tema 10. *Hay* y *está(n)*

Ejercicio 1.
1. está; 2. Hay; 3. Hay; 4. Hay; 5. están; 6. Está; 7. Hay; 8. Está; 9. Hay.

Ejercicio 2.
1. hay; 2. hay; 3. está; 4. está; 5. Hay; 6. está; 7. hay; 8. está; 9. hay.

Ejercicio 3.
1. ¿Dónde hay una cafetería?; 2. ¿Dónde está el centro de la ciudad?; 3. ¿Dónde hay tiendas de moda?; 4. ¿Dónde están los monumentos históricos?; 5. ¿Dónde hay un aeropuerto?; 6. ¿Dónde está el metro?; 7. ¿Dónde está tu casa?

Ejercicio 4.
1. tres enfermos; 2. el cuadro más importante; 3. ruido; 4. las tiendas.

Ejercicio 5.
1. hay; 2. Están, están. 3. Hay, hay; 4. Hay, hay; 5. Hay, están.

Ejercicio 6.
1. hay-e; 2. están-b; 3. Hay-a; 4. está-c; 5. Hay-d.

Ejercicio 7.
están; hay; está; Hay; está; hay; está; hay; están.

Ejercicio 8.
1. está; 2. hay; 3. están; 4. Hay; 5. hay; 6. están; 7. está; 8. está.

Tema 11. Los interrogativos

Ejercicio 1.
1. Qué; 2. Qué; 3. quién; 4. Quiénes; 5. Quiénes; 6. Qué; 7. Qué; 8. Quiénes; 9. qué; 10. Quiénes; 11. Qué; 12. Qué; 13. quién.

Ejercicio 2.
1. cómo; 2. Qué; 3. Cómo; 4. qué; 5. Cómo; 6. qué; 7. Qué.

Ejercicio 3.
1-a; 2-d; 3-h; 4-b; 5-i; 6-g; 7-f; 8-e.

Ejercicio 4.
1. quién; 2. Dónde; 3. Quién; 4. quién; 5. quién; 6. dónde; 7. Dónde; 8. Dónde; 9. quién.

Ejercicio 5.
1. Cómo; 2. Qué; 3. qué; 4. Dónde; 5. Cuándo; 6. Cuánto; 7. Qué; 8. Cómo; 9. Cuántos; 10. cuándo; 11. dónde; 12. Cómo.

Ejercicio 6.
1. ¿Cómo se llama el hermano de Isabel?; 2. ¿Para qué necesitas un diccionario?; 3. ¿Por qué no sales de casa hoy?; 4. ¿Qué necesitas?; 5. ¿Cuántos hermanos tienes?; 6. ¿Cuándo viajas a Barcelona?; 7. ¿Dónde trabajas por las noches?; 8. ¿Con quién estudia en la universidad?

Ejercicio 7.
1. En accidentes de tráfico; 2. En las carreteras españolas; 3. Cada fin de semana; 4. Un fotógrafo español y una ingeniera brasileña; 5. Dan la vuelta al mundo; 6. En bicicleta; 7. Para difundir los Objetivos del Milenio de la ONU; 8. Los Reyes de España; 9. Viajan a Asia (China y Japón); 10. Mañana; 11. Para intensificar las relaciones con esos países; 12. Más de 5.000 peruanos; 13. Dejan sus casas; 14. Porque el volcán Ubinas despide cenizas.

Tema 12. Las preposiciones

Ejercicio 1.
1. en; 2. en; 3. de; 4. de; 5. de; 6. en; 7. de; 8. en; 9. a.

Ejercicio 2.
1. con; 2. de, en; 3. a; 4. a; 5. de; 6. por; 7. de; 8. de; 9. a.

Ejercicio 3.
1. en; 2. a; 3. a; 4. a; 5. En; 6. a; 7. en; 8. a; 9. En.

Ejercicio 4.
1. para; 2. en; 3. de; 4. en; 5. a; 6. de.

Ejercicio 5.
1-b; 2-d; 3-c; 4-f; 5-e; 6-g; 7-h.

Ejercicio 6.
1. en moto; 2. para dibujar; 3. de mi hermana; 4. de Sevilla; 5. en casa.

Ejercicio 7.
1. a; 2. ø; 3. a; 4. ø; 5. ø; 6. a; 7. a; 8. ø.

Ejercicio 8.
1. de; 2. de; 3. de; 4. a; 5. de; 6. de; 7. a; 8. de; 9. de; 10. de; 11. en; 12. de; 13. en; 14. en; 15. de; 16. para.

Tema 13. *Por* y *para*

Ejercicio 1.
1-f; 2-c; 3-h; 4-g; 5-a; 6-d; 7-e.

Ejercicio 2.
1. para (F); 2. para (E); 3. por (B); 4. para (E); 5. por (D); 6. por (A); 7. por (B); 8. por (C); 9. Para (H).

Ejercicio 3.
1. Por, por; 2. para, por; 3. por, por; 4. para.

Ejercicio 4.
1. para; 2. por; 3. para; 4. por; 5. para; 6. Para; 7. por; 8. para; 9. para.

Ejercicio 5.
1. para-e; 2. para-h; 3. para-a; 4. por-i; 5. por-j; 6. por-b; 7. por-d; 8. Para-g; 9. para-f.

Ejercicio 6.
1. Para; 2. Por; 3. Para; 4. por; 5. Para.

Ejercicio 7.
1. por; 2. para; 3. por; 4. por; 5. Por; 6. por; 7. para; 8. para; 9. por; 10. por; 11. para; 12. para; 13. para; 14. por.

Tema 14. Los demostrativos

Ejercicio 1.
1. Esta; 2. Estos; 3. Este; 4. Esta; 5. Estas; 6. Estos; 7. Este; 8. Esta; 9. Este; 10. Estos; 11. Este; 12. Este; 13. Estos; 14. Estas; 15. Estos; 16. Esta; 17. Este; 18. Esta; 19. Esta.

Ejercicio 2.
1. teléfono; 2. ventana; 3. temas; 4. camisetas; 5. alumno.

Ejercicio 3.
1. aquella; 2. ese; 3. esos; 4. Esta; 5. esta.

Ejercicio 4.
1. Esta es la camisa; esos son los pantalones y aquellos son los zapatos; 2. Estos son mis padres; ese es mi hermano y aquella es mi hermana; 3. Este es el profesor; esa es la profesora y aquellos son los compañeros; 4. Este es Guillermo; esa es Isabel y aquella es Eulalia.

Ejercicio 5.
1-g; 2-b; 3-a; 4-c; 5-d; 6-f.

Ejercicio 6.
1. Allí; 2. ahí; 3. Allí; 4. Aquí; 5. Aquí.

Ejercicio 7.
1. ese; 2. Estas; 3. aquellas; 4. Ese; 5. aquella.

Ejercicio 8.
1. estos; 2. esos, aquellos; 3. esa, aquella, esta.

Tema 15. Los posesivos

Ejercicio 1.
1. Nuestros padres; 2. Vuestras amigas; 3. Sus alumnos; 4. Mi trabajo; 5. Su pasaporte; 6. Su piso; 7. Tu país; 8. Vuestros problemas; 9. Sus llaves; 10. Tu revista; 11. Mis primas; 12. Su profesor; 13. Sus gafas.

Ejercicio 2.
1. su; 2. tu; 3. su; 4. vuestros; 5. tu.

Ejercicio 3.
1. Su piso es muy caro; 2. Vuestra camisa es muy bonita; 3. Vuestra hermana es muy alta; 4. Nuestro ordenador es muy rápido; 5. Nuestro coche es deportivo; 6. Nuestra abuela es muy inteligente; 7. ¿Vuestra tía es abogada?; 8. Su paciencia es infinita; 9. Su televisor es japonés; 10. Nuestro ejercicio es difícil.

Ejercicio 4.
1. Estoy con tus compañeros; 2. Tengo sus fotos; 3. Como con mis primos; 4. ¿Dormís con vuestros gatos?; 5. Llevas sus coches al garaje; 6. Sales con tus perros de paseo; 7. Visito a mis tías; 8. Tengo vuestros billetes de avión; 9. ¿Escribes con sus bolígrafos?; 10. ¿Hacéis vuestros ejercicios?

Ejercicio 5.
1. las, la; 2. el; 3. los; 4. mi; 5. a mi.

Ejercicio 6.
1. mis; 2. tu; 3. tu; 4. mi, mi.

Ejercicio 7.
1. vuestros, nuestros, grises; 2. su, mi, negra; 3. su, mi, plata; 4. tu, mi, cámara; 5. vuestras, nuestras, grandes.

Tema 16. *Gustar* y los pronombres personales

Ejercicio 1.
1. Les vendo el chalé; 2. Les alquilo la casa; 3. Le escribo una carta; 4. Les enseño las fotos; 5. Le explico el documento; 6. Les ofrezco una cena; 7. Le presto la moto; 8. Les enseño el camino; 9. Le devuelvo el dinero.

Ejercicio 2.
1. Miro y no le digo nada; 2. Le regalo algo; 3. Le compro un vestido; 4. Le pregunto cómo se llama; 5. Le doy las llaves; 6. Les traigo la compra; 7. Le prepara la comida; 8. Le pido la dirección; 9. Les mando una postal.

Ejercicio 3.
1. Nos; 2. Nos; 3. Me; 4. Nos; 5. Os; 6. Les; 7. Les.

Ejercicio 4.
1. Les; 2. Te; 3. les; 4. les.

Ejercicio 5.
1. nosotros / nosotras; 2. ti; 3. mí; 4. vosotros / vosotras; 5. usted.

Ejercicio 6.
1. le gustan; 2. les gusta; 3. les gustan; 4. les gustan; 5. les gusta; 6. nos gusta; 7. os gustan; 8. le gusta.

Ejercicio 7.
1. a mí; 2. a mí; 3. A ustedes, A mí, a ellos / ellas; 4. A ti, a mí; 5. ø, a mí.

Ejercicio 8.
1. A mí; 2. me gustan; 3. le gustan; 4. le gustan; 5. te gusta; 6. Me gusta; 7. A mí; 8. me gustan; 9. te gusta; 10. Me gusta; 11. les gusta; 12. A mí; 13. me gusta; 14. les gusta.

Tema 17. Los pronombres personales de objeto directo

Ejercicio 1.
1. Los pago; 2. La escribo; 3. Lo compro; 4. La escucha; 5. Lo alquilo; 6. La critico; 7. ¿La envío?; 8. La aprendo; 9. ¿Las cierro?; 10. ¿La invito?; 11. Lo leo; 12. Los vendo; 13. La comprendo; 14. Las traduzco; 15. Los conozco; 16. Las veo en el parque; 17. No lo encuentro; 18. ¿Las buscas?; 19. La consulto; 20. ¿Los hago?; 21. Las miro.

Ejercicio 2.
1. la traigo; 2. no los conozco; 3. no los encuentro; 4. los veo mucho; 5. las envío; 6. los compro; 7. no las escucho hoy; 8. lo cojo esta mañana; 9. no la compro en Madrid; 10. la invitamos.

Ejercicio 3.
1. Te; 2. lo; 3. Nos; 4. la; 5. los; 6. os.

Ejercicio 4.
1. La hago; 2. Quiero comprarlo / Lo quiero comprar; 3. Las vemos; 4. Quiero verlas hoy / Las quiero ver hoy; 5. La escucho; 6. Necesito verlos / Los necesito ver; 7. Quiero decirla / La quiero decir; 8. Podemos hacerlas / Las podemos hacer; 9. Las buscáis; 10. Espero encontrarlas / Las espero encontrar.

Ejercicio 5.
1. Lo; 2. la; 3. las; 4. los; 5. Las; 6. Las; 7. Los; 8. La.

Ejercicio 6.
1. Las; 2. Lo; 3. La; 4. Lo; 5. Las; 6. Lo.

Ejercicio 7.
1. Nosotros lo hacemos pasado mañana. Yo también lo preparo; 2. Ahora repaso las preposiciones, pero no las entiendo. El profesor no las explica bien; 3. Pues yo sí; yo las entiendo; 4. Necesito un diccionario para el examen. Necesito comprarlo esta tarde / Lo necesito comprar esta tarde; 5. Puedes comprarlo en la librería de la universidad / Lo puedes comprar en la librería de la universidad. Hacen un 10% de descuento.

Ejercicio 8.
1. Los; 2. las; 3. Las; 4. las; 5. Lo; 6. lo.

Tema 18. *Muy* y *mucho*

Ejercicio 1.
1. mucho; 2. muchas; 3. muchas; 4. muchos; 5. muchos; 6. muchas, muchos.

Ejercicio 2.
1. muy ; 2. mucha; 3. muy; 4. muy ; 5. mucho; 6. mucho; 7. muy; 8. muy; 9. muy; 10. mucho.

Ejercicio 3.
1. mucha; 2. muy; 3. mucho; 4. mucho; 5. muy; 6. muchos; 7. muy; 8. muchas; 9. muy; 10. mucha.

Ejercicio 4.
1. mucha-j; 2. mucho-f; 3. muy-i; 4. muy-c; 5. muy-a; 6. mucho-h; 7. mucha-b; 8. muy-g;

9. muy-e.
Ejercicio 5.
1. muchos; 2. muy; 3. mucha; 4. muchas; 5. mucho; 6. muy; 7. muy; 8. mucho; 9. muy; 10. muchas.

Ejercicio 6.
1-f; 2-c; 3-a; 4-e; 5-b.

Ejercicio 7.
1. muy; 2. Muchas; 3. muchos; 4. muchas; 5. muy; 6. muy; 7. muchas; 8. muy; 9. muy; 10. muy; 11. muchas.

Tema 19. Las conjunciones

Ejercicio 1.
1-f; 2-c; 3-e; 4-a; 5-d.

Ejercicio 2.
1. y; 2. y; 3. y; 4. o; 5. o.

Ejercicio 3.
1. o, y; 2. o, y; 3. y, y, o; 4. y.

Tema 20. Los números

Ejercicio 1.
1. 55; 2. 105; 3. 414; 4. 515; 5. 10.100; 6. 140.400; 7. 1.213; 8. 502.105; 9. 2.000.002

Ejercicio 2.
1. Catorce; 2. Quince; 3. Uno; 4. Veinte; 5. Cincuenta y dos; 6. Ochenta y ocho; 7. Ciento cinco; 8. Trescientos cuarenta y dos; 9. Mil doscientas treinta.

Ejercicio 3.
1. Tres millones setecientas treinta mil seiscientas diez personas son de nacionalidad extranjera; 2. Los extranjeros más numerosos son los marroquíes: quinientos once mil doscientos noventa y cuatro y los ecuatorianos: cuatrocientos noventa y siete mil setecientos noventa y nueve; 3. Cada año la población española crece en unas novecientas diez mil personas; 4. La ciudad con más habitantes de España es Madrid, con tres millones ciento cincuenta y cinco mil trescientos cincuenta y nueve; 5. Andalucía es la Comunidad Autónoma más poblada, con siete millones ochocientos cuarenta y nueve mil setecientos noventa y nueve habitantes.

Ejercicio 4.
1. primero; 2. segunda; 3. séptima; 4. tercera; 5. primer; 6. quinto; 7. novena; 8. octava; 9. tercer; 10. cuarta.

Ejercicio 5.
1. doscien**tas**; 2. cien; 3. primer**o**, tercer**a**; 4. tercer**a**, primer**a**; 5. seiscien**tos**; 6. cient**o**; 7. mil; 8. novecient**os**.

Ejercicio 6.
1. Setenta y cinco entre tres es igual a veinticinco; 2. Mil cuatrocientos más cuatro mil cien es igual a cinco mil quinientos; 3. Veinticinco por diez es igual a doscientos cincuenta; 4. Ciento cuarenta y ocho menos cincuenta y cinco es igual a noventa y tres; 5. Novecientos die-

ciocho entre seis es igual a ciento cincuenta y tres.

Ejercicio 7.

1. Las doce y cincuenta y cuatro; 2. A novecientos diez kilómetros; 3. Cinco mil setecientos cincuenta y dos kilos; 4. Un metro y cincuenta y seis (centímetros); 5. Quinientos cuarenta y nueve euros; 6. Ciento veinticinco kilos.

Tema 21. Las oraciones causales y finales

Ejercicio 1.

1. Es que tengo mucho calor; 2. Porque es mi profesor de español; 3. Es que hoy hay mucho tráfico; 4. Porque pide socorro; 5. Porque tienen prisa.

Ejercicio 2.

1. No se puede escuchar la radio porque hay mucho ruido; 2. No como porque hoy no tengo hambre; 3. No viene a comer porque tiene un problema; 4. Me voy a la cama pronto porque tengo mucho sueño; 5. Estoy estresada porque tenemos mucho trabajo; 6. Gasta mucho dinero porque gana un buen sueldo; 7. Voy a la piscina porque hace calor; 8. Cierra la ventana porque hay mucho ruido; 9. No nos saluda porque está enfadado con nosotros.

Ejercicio 3.

1-b; 2-e; 3-g; 4-c; 5-f; 6-a.

Ejercicio 4.

1. Elena va al mercado para comprar fruta; 2. Pedro pregunta a su mujer para saber la verdad; 3. Escribo novelas para ganar concursos literarios; 4. ¿Llamamos por teléfono para reservar las entradas de la ópera?; 5. Tengo una bicicleta estática para hacer ejercicio todos los días; 6. Me llama para hablar solo de sus problemas, no para preguntar por mí; 7. ¿Encendemos el ordenador para chatear con Elena?; 8. Voy a Cuba para conocer personalmente a Juan Alejandro; 9. ¿Damos un paseo para tomar un poco el aire?

Ejercicio 5.

1. Para sacar fotos del paisaje; 2. Para hablar con ella; 3. Para subir al tejado; 4. Para ver el partido de fútbol; 5. Para poner una tienda de ropa; 6. Para encender el aire acondicionado; 7. Para decorar esta habitación.

Ejercicio 6.

1. por qué; 2. Porque; 3. por qué no; 4. Por qué no; 5. Porque; 6. por qué no; 7. Porque.

Ejercicio 7.

1. para; 2. Por qué; 3. Porque; 4. Porque; 5. Porque; 6. porque; 7. Para qué; 8. Para; 9. Para; 10. Para; 11. porque.

Tema 22. Las oraciones de relativo

Ejercicio 1.

1. Busco un libro que es muy interesante; 2. Vemos una película que es muy buena; 3. Luis tiene un amigo que da clases de inglés; 4. Tengo un diccionario que tiene cuadros de gramática y de verbos; 5. Trabajo en una empresa que tiene más de dos mil trabajadores; 6. Leo un periódico que sale por las tardes; 7. Me gustan los libros que tienen muchas fotos; 8. María tiene muchos discos antiguos que compra en el mercadillo; 9. Vive en un apartamento que tiene vistas al mar; 10. Juan siempre tiene muchas flores que perfuman su casa.

Ejercicio 2.

1. Tengo un teléfono móvil que tiene conexión a Internet; 2. Mi hijo tiene unos bolígrafos muy

especiales que escriben con tinta transparente; 3. A María José le gusta un reloj que venden en un anticuario; 4. Leonardo se casa con una japonesa que es su compañera de clase de español; 5. Mi mujer tiene cinco gatos que son muy pequeños; 6. El ganador del premio literario sale en un programa de televisión que tiene mucha audiencia.

Ejercicio 3.

1. La casa que tiene es muy grande; 2. Estudio en una academia que está en el centro; 3. El libro que lees es aburrido; 4. Tengo un amigo que habla cinco idiomas; 5. El examen que tengo hoy es difícil; 6. Trabajo en una empresa que solo contrata a mujeres.

Ejercicio 4.

1. Una bicicleta es un vehículo que funciona con dos ruedas y sin motor; 2. Un paraguas es un objeto que sirve para protegerse de la lluvia; 3. Un abrigo es una prenda de vestir que usamos para protegernos del frío; 4. Un profesor es una persona que enseña a los alumnos en el colegio; 5. Una papelera es un objeto que sirve para tirar los papeles usados; 6. Un perro es un animal que cuida la casa; 7. Un camarero es una persona que sirve comidas y bebidas en un restaurante; 8. Una bombilla es un objeto que da luz.

Ejercicio 5.

1. 1; 2. 5; 3. 7; 4. 6; 5. 4; 6. 2.

Anexo 1. El alfabeto

Ejercicio 1.

1. empezar; 2. nación; 3. dulce; 4. aceite; 5. cine; 6. cereales; 7. terraza; 8. carnicería; 9. cinco; 10. diez; 11. ciudad; 12. cocina; 13. izquierda; 14. lápiz; 15. manzana; 16. nacionalidad; 17. organización.

Ejercicio 2.

1. gusto; 2. hijo; 3. bajo; 4. mago; 5. hago; 6. jota; 7. vago.

Ejercicio 3.

1. inteligente; 2. urgencias; 3. algo; 4. yogur; 5. agua; 6. agencia; 7. amigo; 8. catálogo; 9. código; 10. coger; 11. frigorífico; 12. dirigir; 13. espejo; 14. lago.

Ejercicio 4.

1. cebo; 2. lapa; 3. lava; 4. roba; 5. ropa; 6. Japón; 7. jabón.

Ejercicio 5.

1. coto, codo; 2. condado, contado; 3. saltar, saldar; 4. nada, nata; 5. seda, seta; 6. manda, manta; 7. venta, venda; 8. grado, grato.

Ejercicio 6.

1. enterar; 2. carro; 3. parra; 4. ahora; 5. perra.

Ejercicio 7.

1. seguro; 2. muro; 3. carretera; 4. hiero; 5. enterar; 6. correr; 7. terreno; 8. romper; 9. cerrar; 10. recordar; 11. romero.

Ejercicio 8.

1. jota; 2. erre; 3. corro; 4. hoja; 5. ojo; 6. ajo; 7. cara.

Ejercicio 9.

1. loba; 2. cielo; 3. rabo; 4. para; 5. cara; 6. cardo; 7. alma.

Ejercicio 12. Dictado.

Dos reyes enemigos juegan al ajedrez, y muy cerca sus soldados luchan. Unos mensajeros llegan con noticias de la batalla. Los reyes no los escuchan y mueven las piezas de oro. Por la tarde uno de los reyes tira el tablero al suelo porque va a perder la partida. Y poco después un soldado herido le dice: tu ejército se va, pierdes el reino.

Anexo 2. El acento

Ejercicio 1.

1. miér-co-les (3 sílabas); 2. doy (1 sílaba); 3. ciu-dad (2 sílabas); 4. sua-ve (2 sílabas); 5. piel (1 sílaba) 6. ac-tual (2 sílabas); 7. cuan-do (2 sílabas); 8. cui-da-do (3 sílabas); 9. pién-sa-lo (3 sílabas); 10. cam-biáis (2 sílabas); 11. buey (1 sílaba); 12. rui-do (2 sílabas).

Ejercicio 2.

1. acción; 2. lección; 3. caliente; 4. precio; 5. siempre; 6. después; 7. Salamanca; 8. prohibir; 9. difícil; 10. allí; 11. inútil; 12. árboles; 13. respondió; 14. carácter; 15. ordenador.

Ejercicio 3.

1. catálogo; catalogo; catalogó; 2. crítico; critico; criticó; 3. público; publico; publicó; 4. título; titulo; tituló; 5. práctico; practico; practicó.

Ejercicio 4.

1. hacia, hacía; 2. ahí, hay; 3. ley, leí; 4. rey, reí; 5. confío, confió; 6. sería, seria; 7. varías, varias.

Ejercicio 5.

1. tranvía; 2. caía; 3. cambia; 4. mediodía; 5. decía; 6. fotografía; 7. historia; 8. hacia; 9. día; 10. mía; 11. varias.

Ejercicio 6.

¿Tiene usted zapatos de vestir?; ¿de qué número?; ¿De qué color los quiere?; ¿Puedo probármelos?; ¿Tiene usted un número más?; ¿Cuánto valen?

Ejercicio 7.

1. ¡Cómo llueve!; 2. ¡Vaya casa más bonita!; 3. ¿Qué quieres?; 4. ¡Hola; buenos días!; 5. ¿Cómo te llamas?; 6. ¿Adónde vas?; 7. ¡Qué suerte tienes!; 8. ¡Qué película tan bonita!; 9. Por favor; ¿puedo usar la silla?

Ejercicio 9. Dictado.

El Día de los Muertos en México se celebra el uno y dos de noviembre y es una de las fiestas más importantes del año. No son días tristes, son muy alegres, porque para el mexicano la idea de la muerte no le da miedo. En esos días, muchos mexicanos y mexicanas van a comer a los cementerios y llevan a sus muertos las cosas que más les gustaban. Además fabrican figuras de papel o cartón que representan a los muertos haciendo actividades de la vida cotidiana: hablar por teléfono, ir de compras, etc. Y también juguetes de azúcar y chocolate para los niños.

Autoevaluación

1. me llamo; 2. somos; 3. periodista; 4. de la; 5. habla; 6. escribes; 7. Qué; 8. autobuses; 9. meses; 10. estáis; 11. está; 12. hay; 13. están; 14. viejos; 15. rojos; 16. mano; 17. un; 18. La; 19. en; 20. te; 21. primer; 22. ducharte; 23. hay; 24. Qué; 25. de; 26. en; 27. aquella; 28. aquí; 29. me gusta; 30. y; 31. les; 32. nos; 33. le; 34. Lo; 35. la; 36. mucho; 37. muy; 38. el, el; 39. vuestros; 40. ciento tres; 41. trescientas veinte; 42. por; 43. para; 44. ordenador. 45. azúcar; 46. estudiáis; 47. ¡Felicidades!; 48. Por qué no; 49. Es que; 50. que.